世界の「こんにちは」

東京外国語大学
アジア・アフリカ言語文化研究所
監修

はじめに

いま、世界には200ほどの国家があります。それぞれの国家にはそれぞれの決まりがあり、何らかの言語で、何らかの文字で明文化されています。国家によってはそのようなときに用いる言語も決まりの中で定めている場合があります。そのような言語は公用語と呼ばれ、学校教育や公共の場で用いられています。

この本には、そうした世界の国々の公用語や、公共の場で用いられる主要な115言語の「こんにちは」が書かれています。世界にはさまざまな言語の、さまざまなあいさつがあるのだということを知るきっかけとして楽しんでください。もし、何かの機会に、外国の人と話すことがあったら、ここに載っているあいさつを使ってみてください。自分たちの使う言語であいさつしてもらえるというのは、なんだかうれしく感じるものです。

カタカナで書かれた発音の中には、かならずしも本来の発音に近いとは言えないものもあります。「こんにちは」にうまくあてはまっていないものもあります。一つの言語につき一つの表現のみ収録しましたが、相手との親しさや話し手や相手の性別、身分などに応じて異なるあいさつを使い分けるような文化もあります。さらにはわざわざかしこまってあいさつを交わさないような文化もあります。それでも、ここに書かれているあいさつを使えば、気持ちはきっと伝わるでしょう。

さて、ここに載っている115という言語の数、たくさんあるなあと感じた人もいるかもしれません。中には聞いたことのない言語の名前も多く見つかることでしょう。

じつは、世界でいま話し手がいる言語の数は6,000あまりあると言われています。つまり、この本に載っている言語は、世界中の言語のほんの一部でしかないのです。数千ある言語の中には、話せる人がほんの少ししかおらず、近い将来誰も話さなくなるかもしれないものも多くあります。この本を通じて、世界にはここに載っていない小さな言語もたくさんあるということ、そういった小さな言語も、話し手にとってはとても大切なものなんだということも、心に留めておいてもらえるとうれしく思います。

この本が、世界とみなさんとをつなぐ最初のきっかけになりますように。

東京外国語大学アジア・アフリカ言語文化研究所
「多言語・多文化共生に向けた循環型の
言語研究体制の構築」(LingDy3)プロジェクト

本書の読み方

- 本書に掲載しているあいさつは、現在使われている文字で書き表しています。
- 国や地域の名前、公用語・主要な言語については、日本の外務省のデータに拠っています。ただし、通例と大きく異なる場合は現地での呼称を優先しています。
- 各情報は2021年1月現在のものです。

もくじ

世界の「こんにちは」

東京外国語大学
アジア・アフリカ言語文化研究所
監修

アイスランド語(ご)

Halló

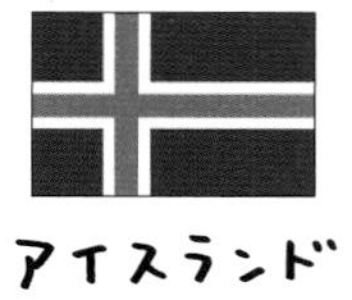

アイマラ語

Kamisaraki

カミサラーキ

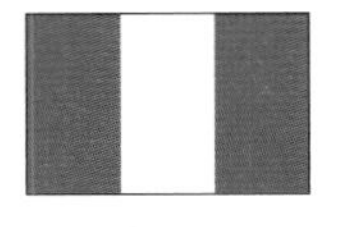
ペルー

ボリビア

アイルランド語

Dia dhuit

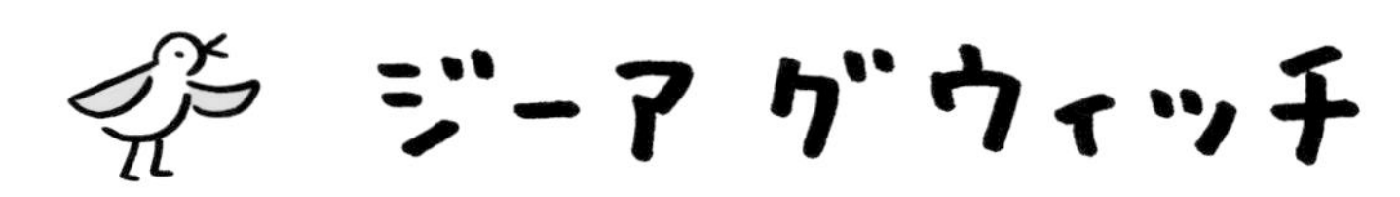

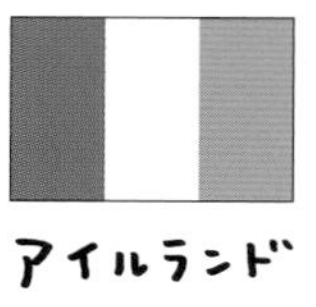

Salam

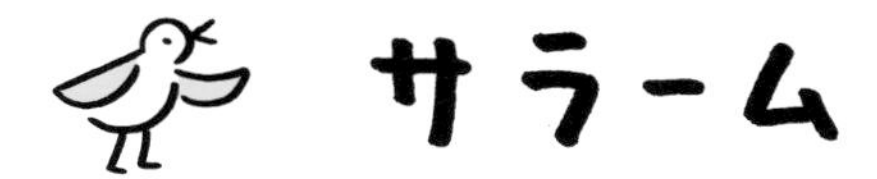

アゼルバイジャン

アフリカーンス語

Goede middag

アマジグ語

ⴰⵣⵓⵍ

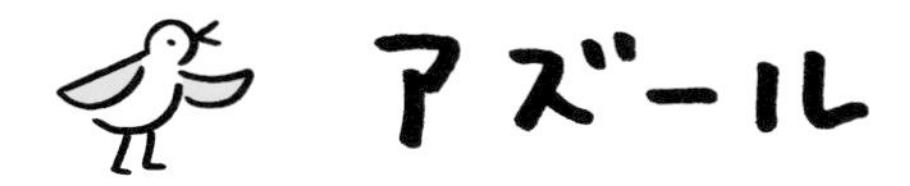

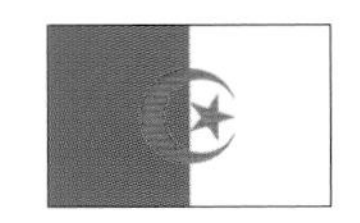
アルジェリア

モロッコ

アムハラ語

ጤና ይሰጥልኝ

エチオピア

◆ より親しい間柄では**ሰላም ነው**「サラム・ノ」を使います。

アラビア語

السلام عليكم

アッサラーム アライクム

◆ مرحبا「マルハバン」もよく使われます。

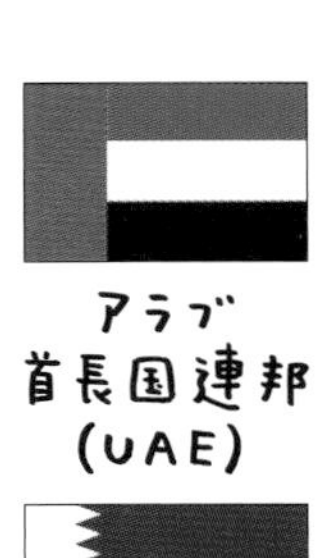

アラブ首長国連邦（UAE）

アルジェリア

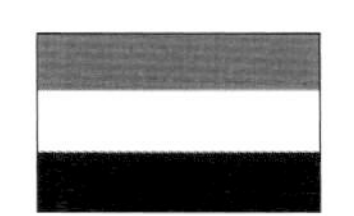

イエメン

イラク

エジプト

エリトリア

オマーン

カタール

クウェート

コモロ

サウジアラビア

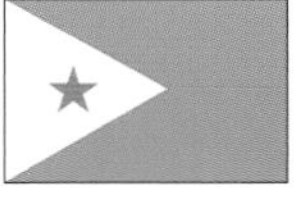

ジブチ

シリア

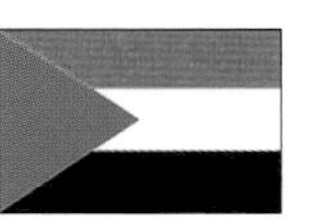

スーダン

ソマリア

チャド

チュニジア

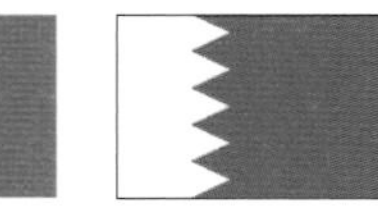

バーレーン

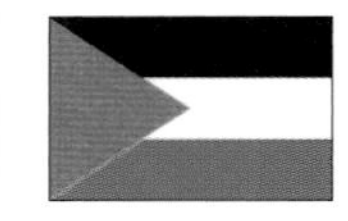

パレスチナ

モーリタニア

モロッコ

ヨルダン

リビア

レバノン

Përshëndetje

ペルシェンデーティエ

アルバニア

北マケドニア

コソボ

アルメニア語

Բարեւ

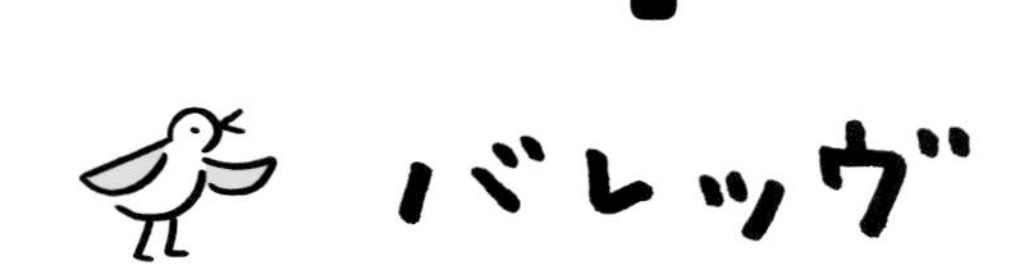

アルメニア

Buon giorno

ボンジョールノ

イタリア

サンマリノ

スイス

インドネシア語

Selamat siang

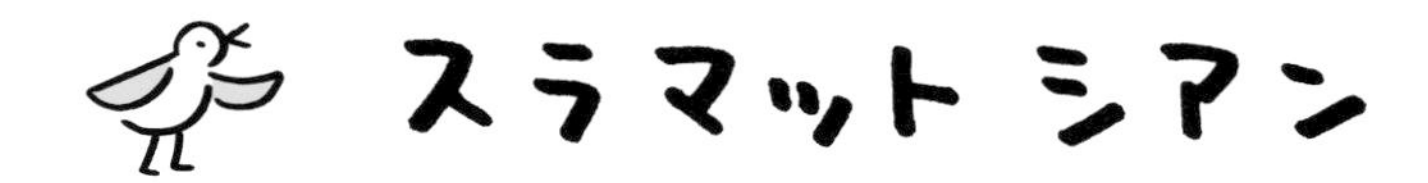

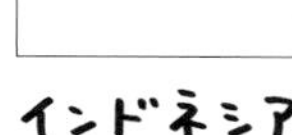

ウクライナ語

Добрий день

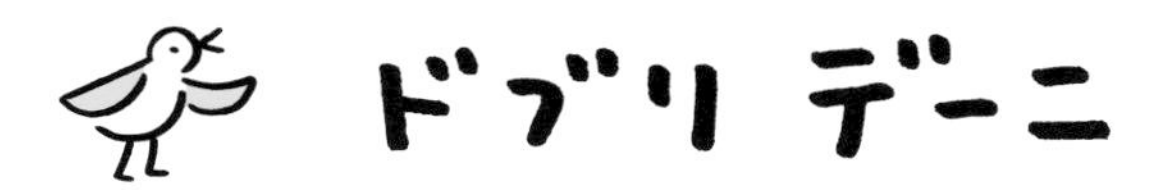

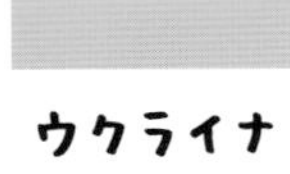
ウクライナ

ウズベク語

Salom

ウルドゥー語

السلام علیکم

アッサラーム アレークム

パキスタン

英語

Hello

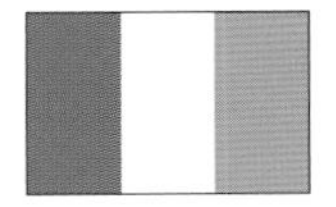
アイルランド

アメリカ

アンティグア・バーブーダ

イギリス

ウガンダ

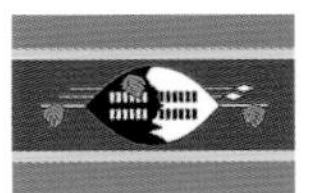
エスワティニ

エチオピア

オーストラリア

ガーナ

ガイアナ

カナダ

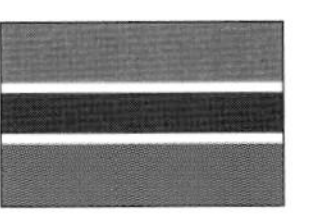
カメルーン

ガンビア

キリバス

クック諸島

グレナダ

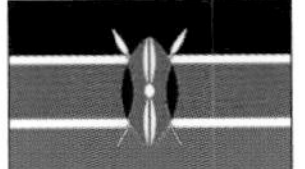
ケニア

サモア

ザンビア

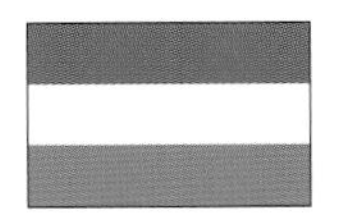
シエラレオネ

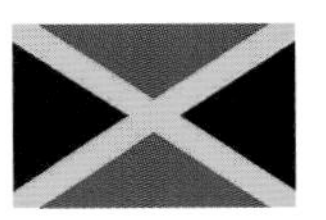
ジャマイカ

シンガポール

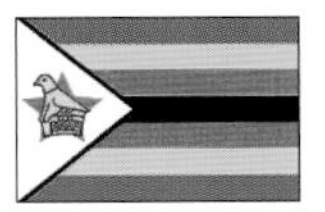
ジンバブエ

セーシェル

セントクリストファー・ネビス

セントビンセント・グレナディーン

セントルシア

ソロモン諸島

タンザニア

ツバル

ドミニカ

トリニダード・トバゴ

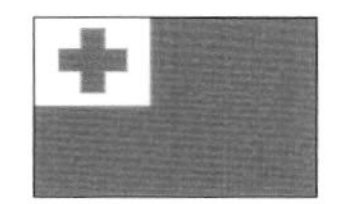
トンガ

ナイジェリア

ナウル

ナミビア

ニウエ

ニュージーランド

パキスタン

バヌアツ

バハマ

パプア
ニューギニア

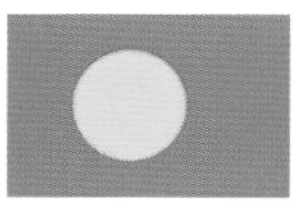
パラオ

バルバドス

フィジー

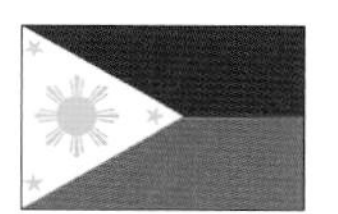
フィリピン

ベリーズ

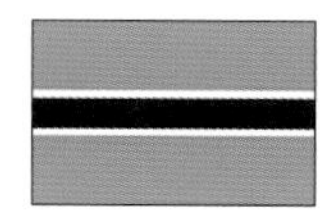
ボツワナ

マーシャル
諸島

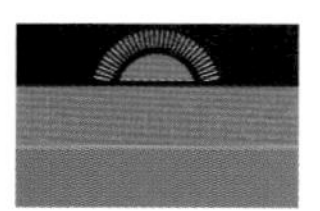
マラウイ

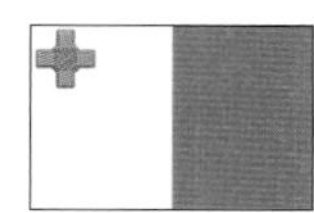
マルタ

マレーシア

ミクロネシア

南アフリカ

南スーダン

モーリシャス

リベリア

ルワンダ

レソト

Tere

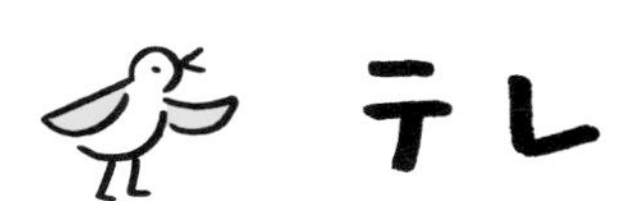

エストニア

オランダ語

Goedendag

フーデンダッハ

オランダ

スリナム

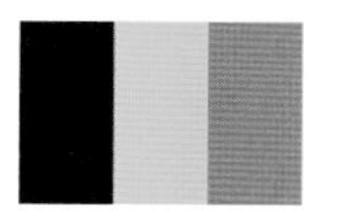
ベルギー

オロモ語

Attam

アッタム

エチオピア

カザフ語

Сәлеметсіз бе

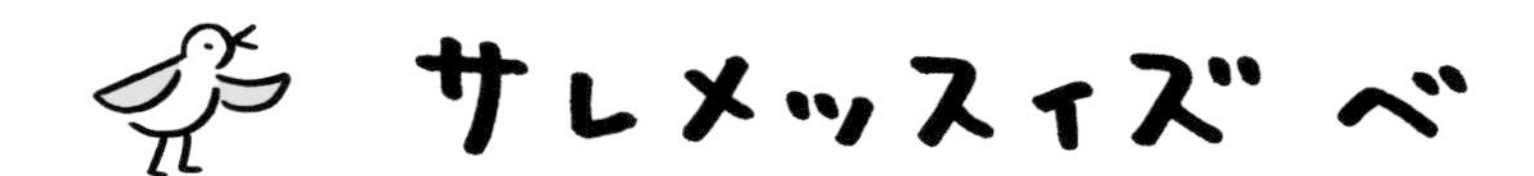

カザフスタン

Hola

オラ

アンドラ

韓国語・朝鮮語

かんこく　ちょうせん

안녕하세요

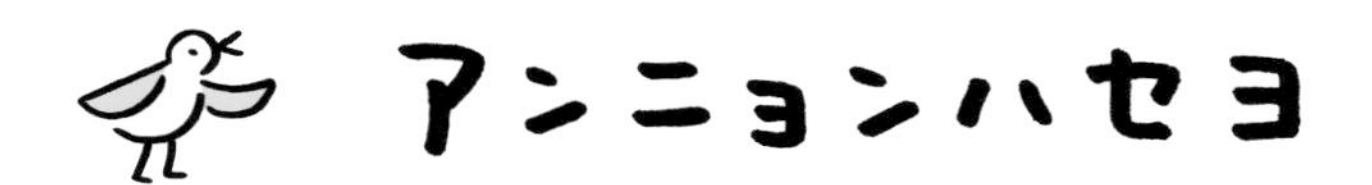

韓国

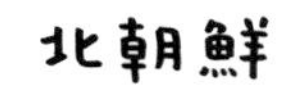

ガンダ語

Gyebale ko

ウガンダ

北ソト語

Dumela

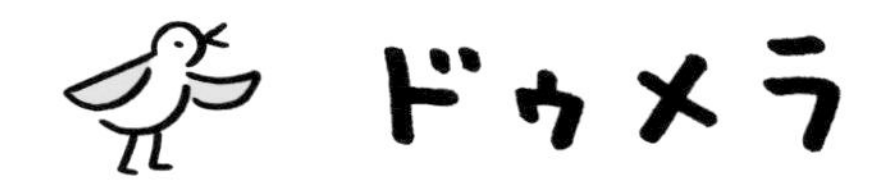

◆ 1人に対しては上のDumelaを、複数の人に対してはDumelang「ドゥメラン」を使います。

北(きた)ンデベレ語

Salibonani

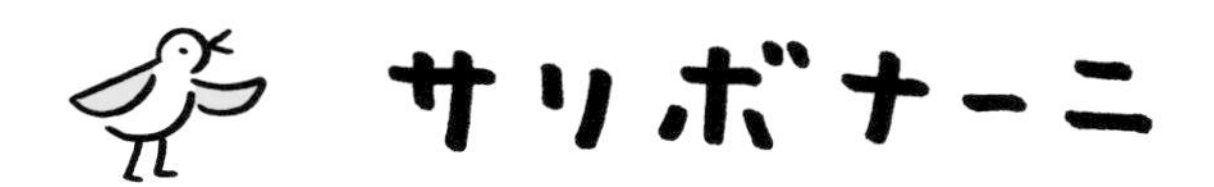

ジンバブエ

ギリシャ語

Γειά σας

ヤーサス

キプロス

ギリシャ

キリバス語

Mauri

キリバス

グアラニー語

Mba'éichapa

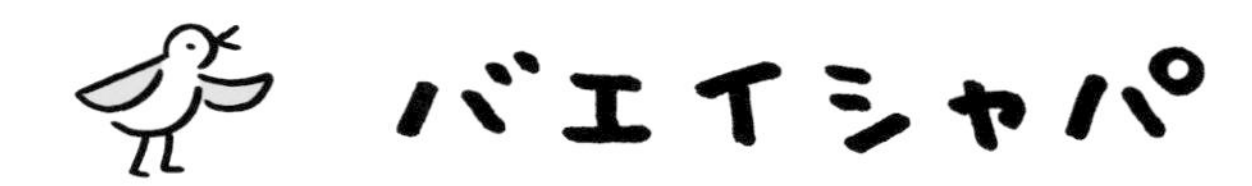

Kia Orana

キア オラナ

クック諸島

クメール語

សួស្តី

スオスタイ

カンボジア

イラク

クロアチア語

Dobar dan

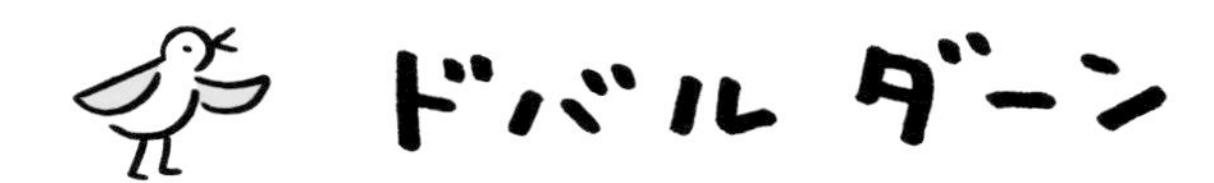

クロアチア

ボスニア・ヘルツェゴビナ

ケチュア語

Rimaykullayki

リマイクヤイキ

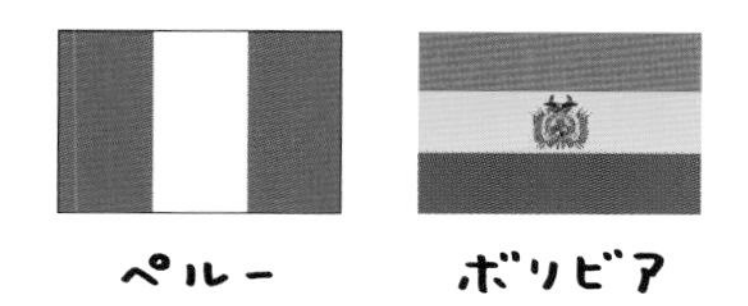

コサ語

Mholo

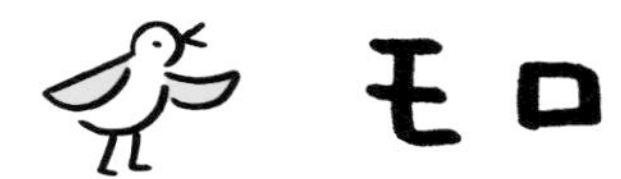

モロ

南アフリカ

Ye dje?

コモロ

◇ コモロ諸島を構成する４つの島のうちの、ンガンジャ島の方言による表現です。

サモア語

Talofa

サモア

サンゴ語

Balao

中央アフリカ

ジョージア語

გამარჯობა

ガマルジョバ

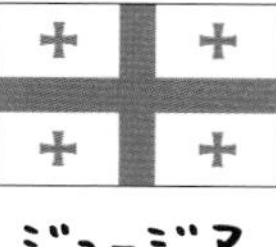

ジョージア

ショナ語

Masikati

ジンバブエ

◆ Mhoro「モロ」もよく使われます。

シンハラ語

ආයුබෝවන්

アーユボーワン

スリランカ

Hallå

ハロア

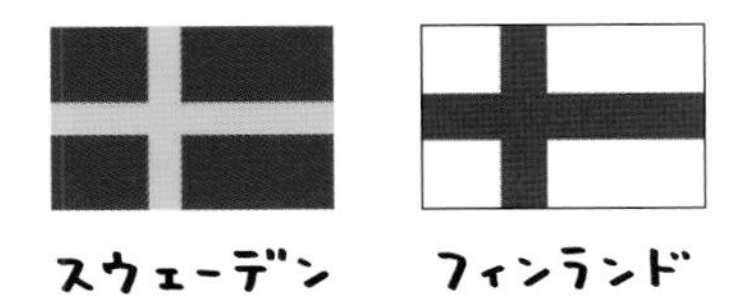

ズールー語

Sawubona

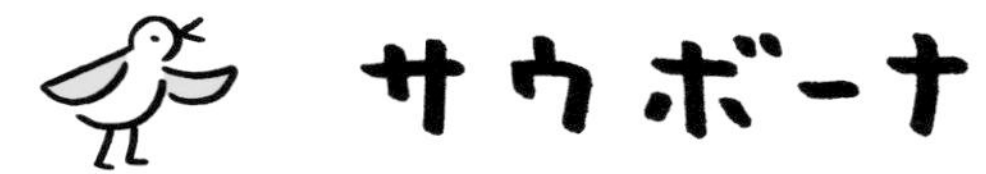

◆ 1人に対しては上のSawubon「サウボーナ」を、複数の人に対してはSanibonani「サニボナーニ」を使います。

スペイン語

Hola

アルゼンチン

ウルグアイ

エクアドル

エルサル
バドル

キューバ

グアテマラ

コスタリカ

コロンビア

スペイン

赤道ギニア

チリ

ドミニカ
共和国

ニカラグア

パナマ

パラグアイ

ベネズエラ

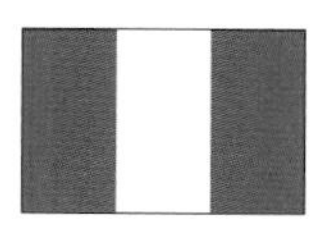
ペルー

ボリビア

ホンジュラス

メキシコ

Ahoj

アホイ

スロバキア

スロベニア語

Dober dan

スロベニア

スワティ語

Sawubona

サウボーナ

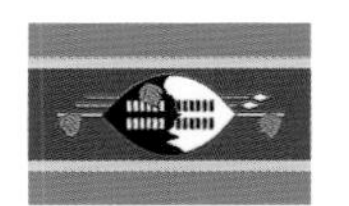

エスワティニ

南アフリカ

スワヒリ語

Hujambo

フジャンボ

ウガンダ　ケニア　タンザニア　ルワンダ

◆ 1人に対しては上のHujamboを、複数の人に対してはHamjambo「ハムジャンボ」を使います。

セーシェル・クレオール語

Bonzour

ボンズール

セーシェル

セルビア語

Dobar dan

ドバルダン

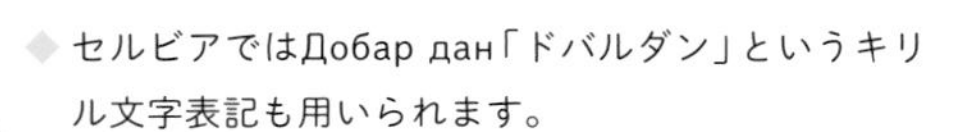

◇ セルビアではДобар дан「ドバルダン」というキリル文字表記も用いられます。

コソボ

セルビア

ボスニア・ヘルツェゴビナ

モンテネグロ

ソト語

Lumela

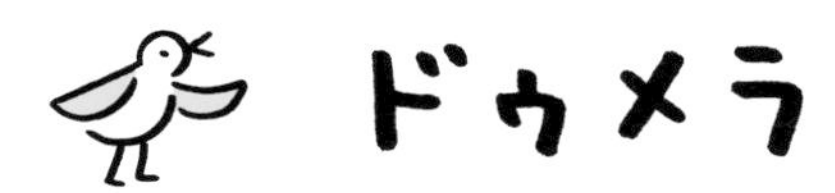

南アフリカ

レソト

ソマリ語

Ma nabad baa

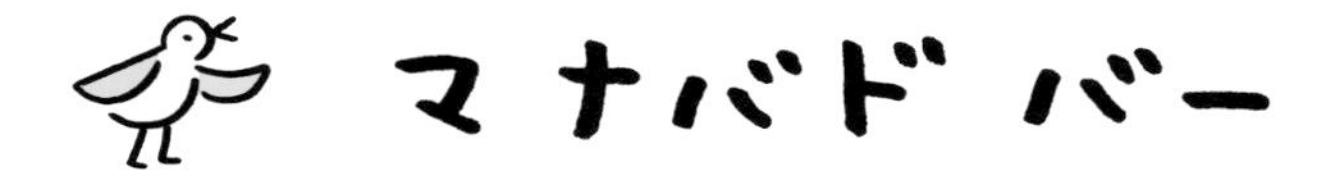

ソマリア

ゾンカ語

སྐུ་གཟུགས་བཟང་པོ།

クズ ザンポ

ブータン

タイ語

สวัสดีครับ

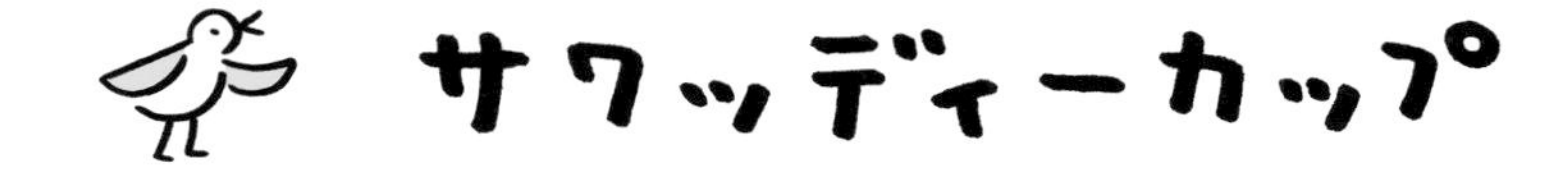

สวัสดีค่ะ

サワッディーカー

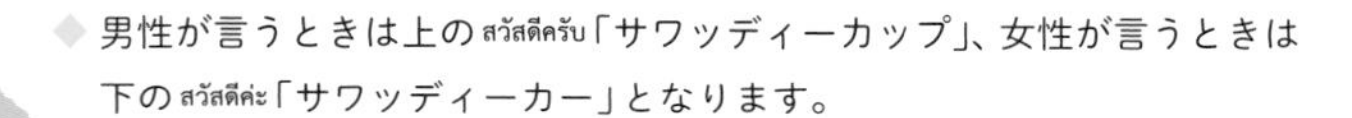
◇ 男性が言うときは上の สวัสดีครับ「サワッディーカップ」、女性が言うときは下の สวัสดีค่ะ「サワッディーカー」となります。

Magandang hapon po

マガンダン ハポン ポ

フィリピン

タジク語

Салом

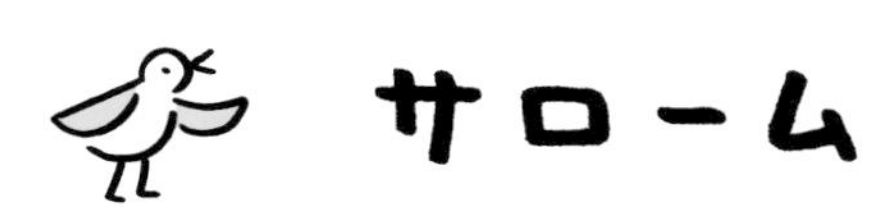

サローム

タジキスタン

வணக்கம்

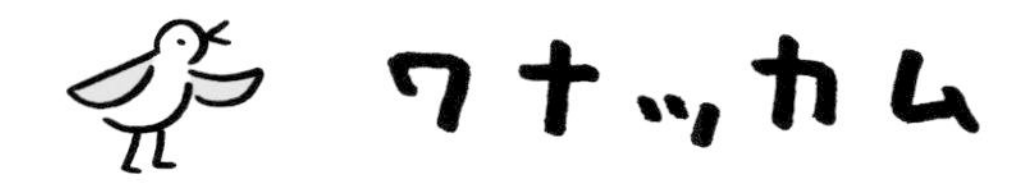

シンガポール

スリランカ

マレーシア

ダリー語

アフガニスタン

Dobrý den

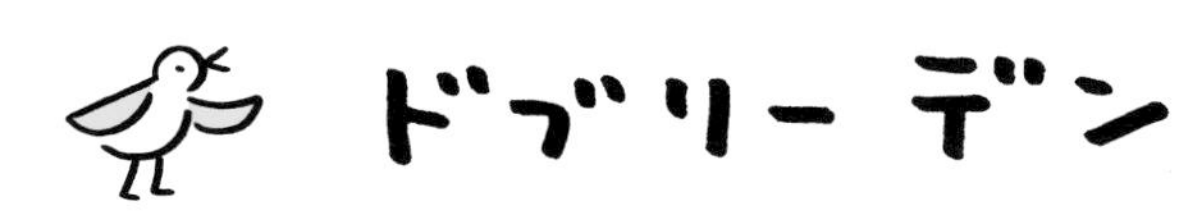

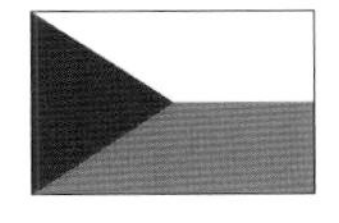
チェコ

チェワ語

Moni

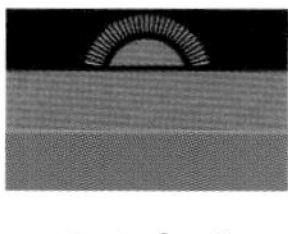
マラウイ

中国語
ちゅう ごく

你好

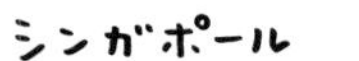

台湾

中国

マレーシア

◆ 台湾では台湾華語と呼ばれます。

ツォンガ語

Avuxeni

郵便はがき

料金受取人払郵便

葛西局承認

6130

差出有効期間
令和4年12月31日
まで（切手不要）

1 3 4 8 7 3 2

（受取人）
日本郵便　葛西郵便局私書箱第30号
日経ナショナル ジオグラフィック社
読者サービスセンター 行

お名前　フリガナ	年齢	性別 1.男 2.女
ご住所　フリガナ □□□-□□□□		
電話番号 （　　）	ご職業	
メールアドレス	@	

●ご記入いただいた住所やE-Mailアドレスなどに、DMやアンケートの送付、事務連絡を行う場合があります。このほか、「個人情報取得に関するご説明」(http ://nng.nikkeibp.co.jp/nng/ p8/)をお読みいただき、ご同意のうえ、ご返送ください。

お客様ご意見カード

このたびは、ご購入ありがとうございます。皆さまのご意見・ご感想を今後の商品企画の参考にさせていただきますので、お手数ですが、以下のアンケートにご回答くださいますようお願い申し上げます。(□は該当欄に✓を記入してください)

ご購入商品名　お手数ですが、お買い求めいただいた商品タイトルをご記入ください

■ **本商品を何で知りましたか**（複数選択可）

□ 書店　□ amazonなどのネット書店(　　　　)
□「ナショナル ジオグラフィック日本版」の広告、チラシ
□ ナショナル ジオグラフィックのウェブサイト
□ FacebookやTwitterなど　□ その他(　　　　)

■ **ご購入の動機は何ですか**（複数選択可）

□ テーマに興味があった　□ ナショナル ジオグラフィックの商品だから
□ プレゼント用に　□ その他(　　　　)

■ **内容はいかがでしたか**（いずれか一つ）

□ たいへん満足　□ 満足　□ ふつう　□ 不満　□ たいへん不満

■ **本商品のご感想やご意見をご記入ください**

■ **商品として発売して欲しいテーマがありましたらご記入ください**

■ **「ナショナル ジオグラフィック日本版」をご存じですか**（いずれか一つ）

□ 定期購読中　□ 読んだことがある　□ 知っているが読んだことはない　□ 知らない

■ **ご感想を商品の広告等、PRに使わせていただいてもよろしいですか**(いずれか一つ)

□ 実名で可　□ 匿名で可(　　　　)　□ 不可

ご協力ありがとうございました。

Talofa

ツバル

ツワナ語

Dumela

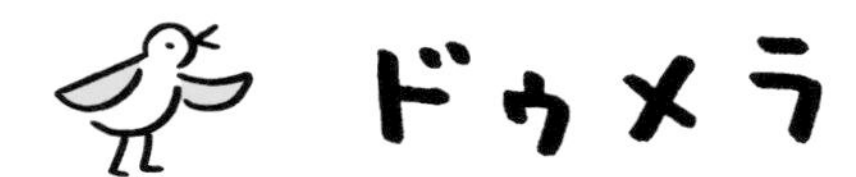

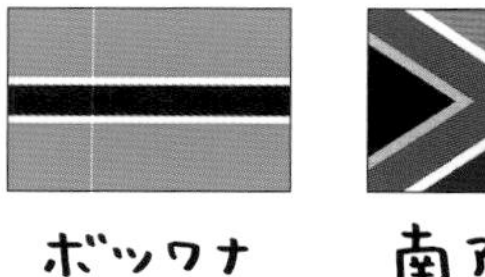

ボツワナ　南アフリカ

ティグリニャ語

ሰላማት

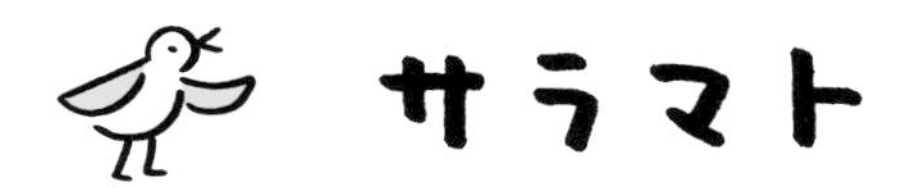

エリトリア

ディベヒ語

އައްސަލާމް ޢަލައިކުމް

アッサラーム アレークム

モルディブ

テトゥン語

Meudia diak

メウディア ディアック

東ティモール

デンマーク語

Hej

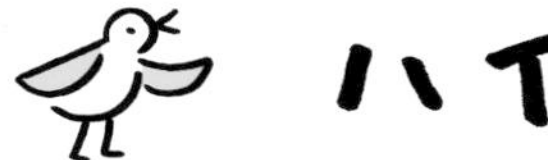

ハイ

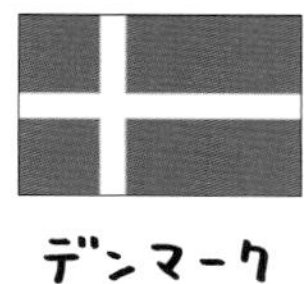

デンマーク

ドイツ語

Guten Tag

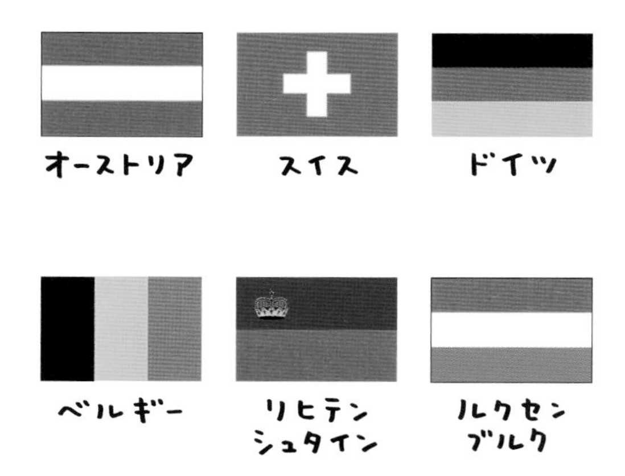
オーストリア
スイス
ドイツ
ベルギー
リヒテン
シュタイン
ルクセン
ブルク

Salam

サラム

トルク
メニスタン

トルコ語

Merhaba

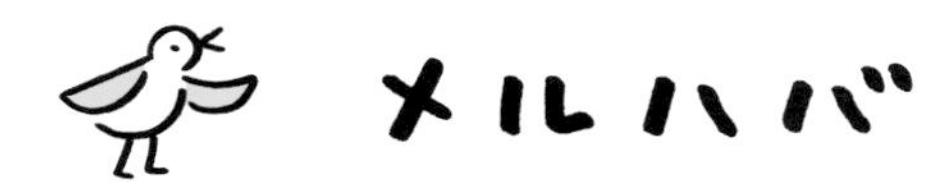

イラン

キプロス

トルコ

Malo e lelei

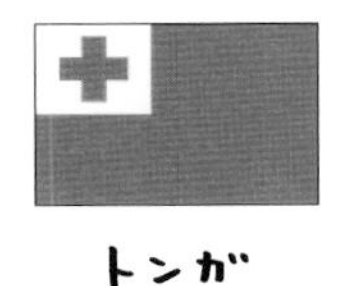
トンガ

ナウル語

Ekamowir omo

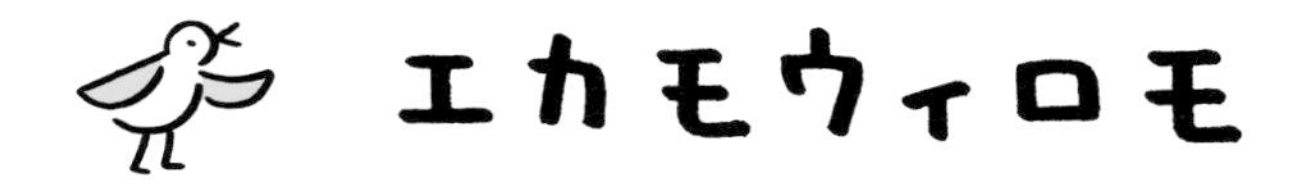

ナウル

Fakalofa lahi atu

ニウエ

日本語
にほん

こんにちは

コンニチワ

日本

ネパール語

नमस्ते

ナマステ

ネパール

ノルウェー語

God dag

グダーグ

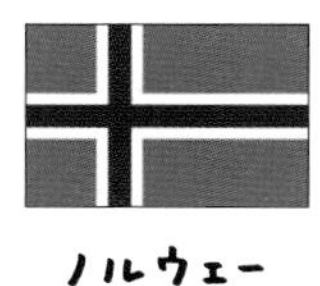
ノルウェー

ハイチ・クレオール語

Bonjou

ハイチ

パシュトゥー語

パラオ語

Alii

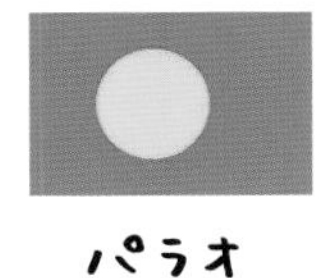
パラオ

ハンガリー語

Sziasztok

ビスラマ語

Halo

バヌアツ

ビルマ語

မင်္ဂလာပါ

ミンガラーバー

ミャンマー

ヒンディー語

नमस्ते

ナマステ

インド

フィンランド語

Moi

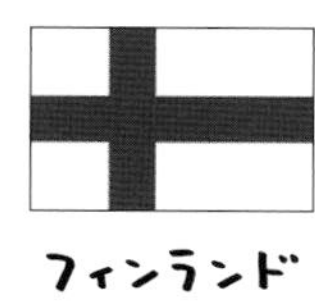
フィンランド

フランス語

Bonjour

ボンジュール

カナダ

ガボン

カメルーン

ギニア

コート
ジボワール

コモロ

コンゴ
共和国

コンゴ
民主共和国

ジブチ

スイス

セーシェル

赤道ギニア

セネガル

チャド

中央アフリカ

トーゴ

ニジェール

ハイチ

バヌアツ

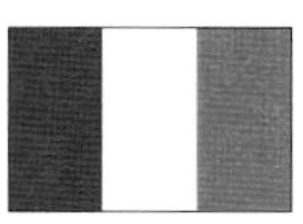
フランス

ブルキナファソ

ブルンジ

ベナン

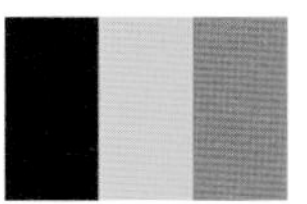
ベルギー

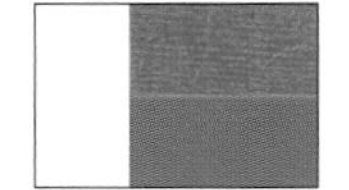
マダガスカル

マリ

モーリシャス

モナコ

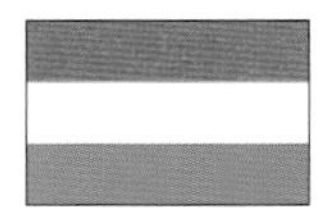
ルクセンブルク

ルワンダ

ブルガリア語

Здравейте

ズドラヴェイテ

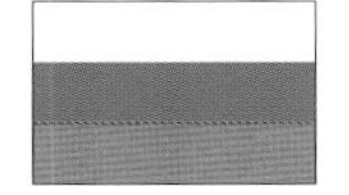

ブルガリア

ベトナム語

Xin chào

シンチャオ

ベトナム

ヘブライ語

שלום

シャロム

イスラエル

ベラルーシ語

Прывітанне

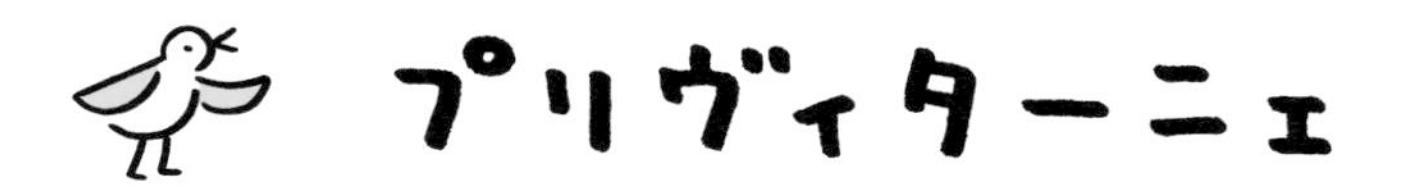

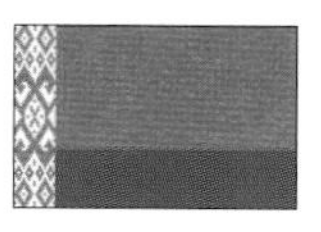

ベラルーシ

イラン

ベンガル語

স্বাগতম

シャゴトム

バングラデシュ

Ndaa

Aa

南アフリカ

◆ 男性に対して使うときは上のNdaa「ンダー」、女性に対して使うときは下のAa「アー」。

ポーランド語

Dzień dobry

ポーランド

Dobar dan

ボスニア・
ヘルツェゴビナ

ポルトガル語

Boa tarde

◆ 地域によってはOlá「オラ」という、より親しい間柄で用いる挨拶もあります。

アンゴラ

カーボベルデ

ギニアビサウ

サントメ・プリンシペ

赤道ギニア

東ティモール

ブラジル

ポルトガル

モザンビーク

マーシャル語

Io̧kwe

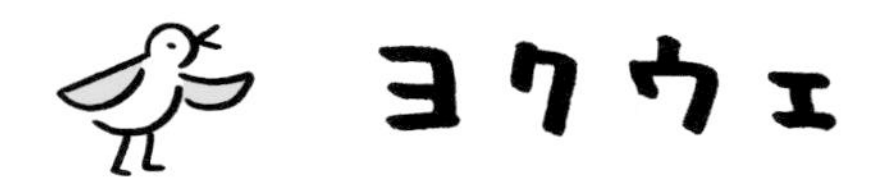

マーシャル諸島

◇ 街中の看板などではYokwe「ヨクウェ」と書かれることも多くあります。

Kia ora

キア オラ

ニュージーランド

マケドニア語

Здраво

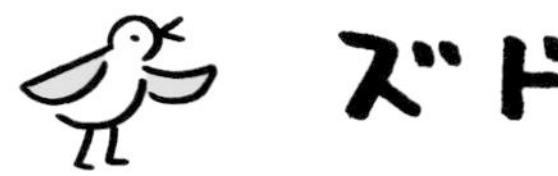
ズドラーヴォ

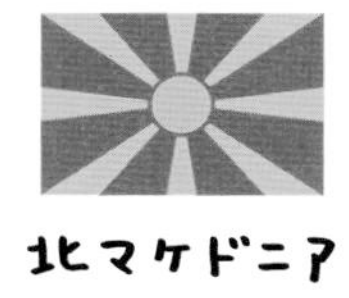
北マケドニア

マダガスカル語

Manahoana ianao?

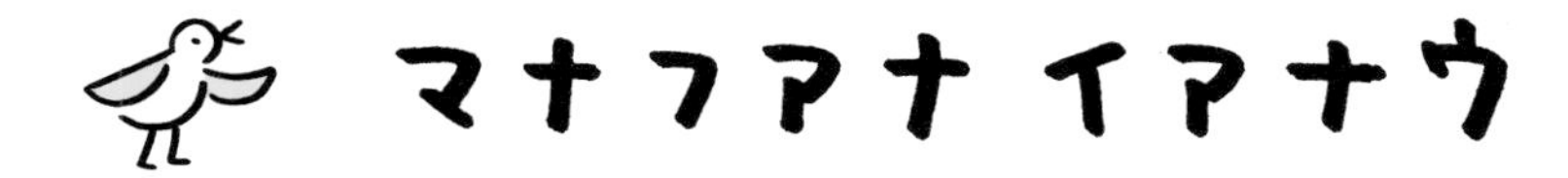

マダガスカル

◆１人に対しては上のManahoana ianao?を、複数の人に対してはManahoana ianareo?「マナフアナ イアナレウ？」を使います。

マルタ語

Bonġu

マルタ

Selamat tengahari

シンガポール

ブルネイ

マレーシア

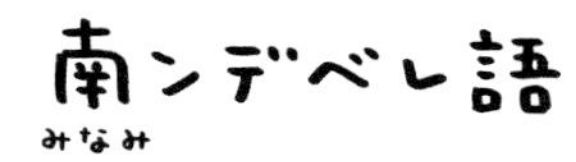

Sanibonani

サニボナーニ

Bonzour

ボンズール

モーリシャス

モンゴル語

Сайн байна уу?

サイン バイノー

モンゴル

◆ モンゴル語の表記には縦書きのモンゴル文字も使われます。

Dobar dan

モンテネグロ

ラオ語

ສະບາຍດີ

サバイディー

ラオス

Salve

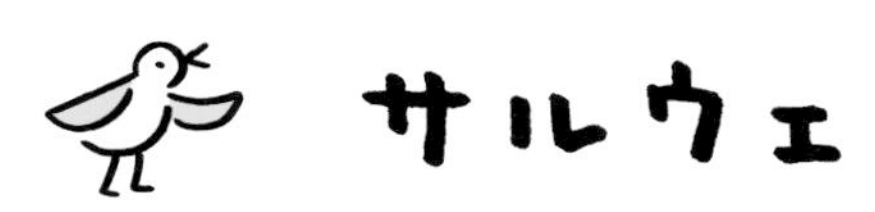

バチカン

ラトビア語

Labdien

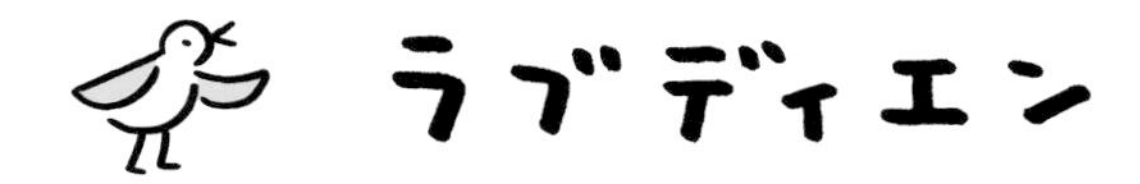

リトアニア語

Laba diena

リトアニア

ルーマニア語

Bună ziua

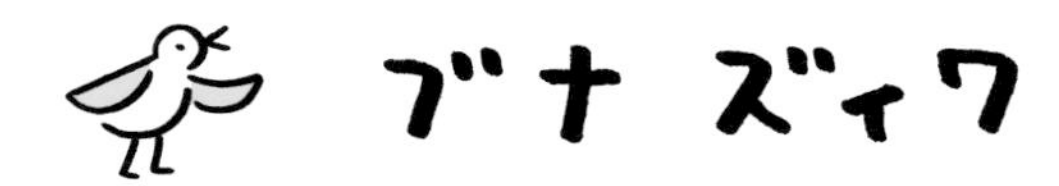

モルドバ

ルーマニア

Moien

ルクセンブルク

Muraho

ムラホ

ルワンダ

ルンディ語

Amahoro

ブルンジ

ロシア語

Здравствуйте

ズトラーストヴィチェ

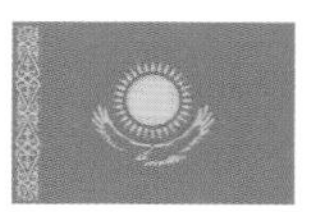

カザフスタン

キルギス

ベラルーシ

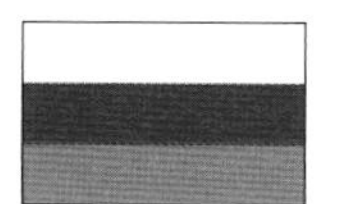

ロシア

ロマンシュ語

Bun di

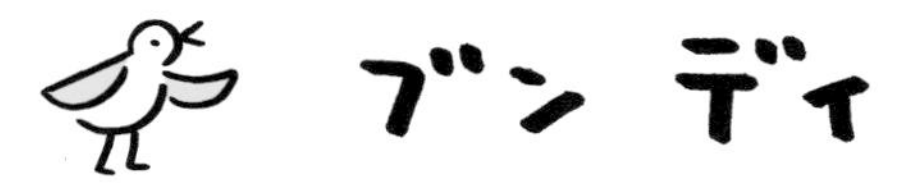

スイス

国名・地域名索引

国や地域の名前から、本書に掲載している主な使用言語を探せます。

ア

イ

ウ

エ

オ

◆ オーストラリア……英語
◆ オーストリア……ドイツ語
◆ オマーン……アラビア語
◆ オランダ……オランダ語

カ

◆ ガーナ……英語
◆ カーボベルデ……ポルトガル語
◆ ガイアナ……英語
◆ カザフスタン……カザフ語、ロシア語
◆ カタール……アラビア語
◆ カナダ……英語、フランス語
◆ ガボン……フランス語
◆ カメルーン……英語、フランス語
◆ 韓国……韓国語・朝鮮語
◆ ガンビア……英語
◆ カンボジア……クメール語

キ

◆ 北朝鮮……韓国語・朝鮮語
◆ 北マケドニア……アルバニア語、マケドニア語
◆ ギニア……フランス語
◆ ギニアビサウ……ポルトガル語
◆ キプロス……ギリシャ語、トルコ語
◆ キューバ……スペイン語
◆ ギリシャ……ギリシャ語
◆ キリバス……英語、キリバス語
◆ キルギス……ロシア語

ク

◆ グアテマラ……スペイン語
◆ クウェート……アラビア語
◆ クック諸島……英語、クック諸島マオリ語
◆ グレナダ……英語
◆ クロアチア……クロアチア語

ケ

◆ ケニア……英語、スワヒリ語

コ

◆ コートジボワール……フランス語
◆ コスタリカ……スペイン語
◆ コソボ……アルバニア語、セルビア語
◆ コモロ……アラビア語、コモロ語、フランス語
◆ コロンビア……スペイン語
◆ コンゴ共和国……フランス語
◆ コンゴ民主共和国……フランス語

サ

◆ サウジアラビア……アラビア語
◆ サモア……英語、サモア語
◆ サントメ・プリンシペ……ポルトガル語
◆ ザンビア……英語
◆ サンマリノ……イタリア語

シ

- シエラレオネ……英語
- ジブチ……アラビア語、フランス語
- ジャマイカ……英語
- ジョージア……ジョージア語
- シリア……アラビア語
- シンガポール……英語、タミル語、中国語、マレー語
- ジンバブエ……英語、北ンデベレ語、ショナ語

ス

- スイス……イタリア語、ドイツ語、フランス語、ロマンシュ語
- スウェーデン……スウェーデン語
- スーダン……アラビア語
- スペイン……スペイン語
- スリナム……オランダ語
- スリランカ……シンハラ語、タミル語
- スロバキア……スロバキア語
- スロベニア……スロベニア語

セ

- セーシェル……英語、セーシェル・クレオール語、フランス語
- 赤道ギニア……スペイン語、フランス語、ポルトガル語
- セネガル……フランス語
- セルビア……セルビア語
- セントクリストファー・ネビス……英語
- セントビンセント・グレナディーン……英語
- セントルシア……英語

ソ

- ソマリア……アラビア語、ソマリ語
- ソロモン諸島……英語

タ

- タイ……タイ語
- 台湾……中国語
- タジキスタン……タジク語
- タンザニア……英語、スワヒリ語

チ

- チェコ……チェコ語
- チャド……アラビア語、フランス語
- 中央アフリカ……サンゴ語、フランス語
- 中国……中国語
- チュニジア……アラビア語
- チリ……スペイン語

ツ

- ツバル……英語、ツバル語

テ

- デンマーク……デンマーク語

ト

- ドイツ……ドイツ語
- トーゴ……フランス語
- ドミニカ……英語

◆ ドミニカ共和国……スペイン語
◆ トリニダード・トバゴ……英語
◆ トルクメニスタン……トルクメン語
◆ トルコ……トルコ語
◆ トンガ……英語、トンガ語

ナ

◆ ナイジェリア……英語
◆ ナウル……英語、ナウル語
◆ ナミビア……英語

ニ

◆ ニウエ……英語、ニウエ語
◆ ニカラグア……スペイン語
◆ ニジェール……フランス語
◆ 日本……日本語
◆ ニュージーランド……英語、マオリ語

ネ

◆ ネパール……ネパール語

ノ

◆ ノルウェー……ノルウェー語

ハ

◆ バーレーン……アラビア語
◆ ハイチ……ハイチ・クレオール語、フランス語
◆ パキスタン……ウルドゥー語、英語
◆ バチカン……ラテン語
◆ パナマ……スペイン語
◆ バヌアツ……英語、ビスラマ語、フランス語
◆ バハマ……英語
◆ パプアニューギニア……英語
◆ パラオ……英語、パラオ語
◆ パラグアイ……グアラニー語、スペイン語
◆ バルバドス……英語
◆ パレスチナ……アラビア語
◆ ハンガリー……ハンガリー語
◆ バングラデシュ……ベンガル語

ヒ

◆ 東ティモール……テトゥン語、ポルトガル語

フ

◆ フィジー……英語
◆ フィリピン……英語、タガログ語
◆ フィンランド……スウェーデン語、フィンランド語
◆ ブータン……ゾンカ語
◆ ブラジル……ポルトガル語
◆ フランス……フランス語
◆ ブルガリア……ブルガリア語
◆ ブルキナファソ……フランス語
◆ ブルネイ……マレー語
◆ ブルンジ……フランス語、ルンディ語

ヘ

◆ ベトナム……ベトナム語
◆ ベナン……フランス語

◆ ベネズエラ……スペイン語
◆ ベラルーシ……ベラルーシ語、ロシア語
◆ ベリーズ……英語
◆ ペルー……アイマラ語、ケチュア語、スペイン語
◆ ベルギー……オランダ語、ドイツ語、フランス語

ポ

◆ ポーランド……ポーランド語
◆ ボスニア・ヘルツェゴビナ……クロアチア語、セルビア語、ボスニア語
◆ ボツワナ……英語、ツワナ語
◆ ボリビア……アイマラ語、ケチュア語、スペイン語
◆ ポルトガル……ポルトガル語
◆ ホンジュラス……スペイン語

マ

◆ マーシャル諸島……英語、マーシャル語
◆ マダガスカル……フランス語、マダガスカル語
◆ マラウイ……英語、チェワ語
◆ マリ……フランス語
◆ マルタ……英語、マルタ語
◆ マレーシア……英語、タミル語、中国語、マレー語

ミ

◆ ミクロネシア……英語
◆ 南アフリカ……アフリカーンス語、英語、北ソト語、コサ語、ズールー語、スワティ語、ソト語、ツォンガ語、ツワナ語、ベンダ語、南ンデベレ語
◆ 南スーダン……英語
◆ ミャンマー……ビルマ語

メ

◆ メキシコ……スペイン語

モ

◆ モーリシャス……英語、フランス語、モーリシャス・クレオール語
◆ モーリタニア……アラビア語
◆ モザンビーク……ポルトガル語
◆ モナコ……フランス語
◆ モルディブ……ディベヒ語
◆ モルドバ……ルーマニア語
◆ モロッコ……アマジグ語、アラビア語
◆ モンゴル……モンゴル語
◆ モンテネグロ……セルビア語、モンテネグロ語
◆ ヨルダン……アラビア語
◆ ラオス……ラオ語
◆ ラトビア……ラトビア語
◆ リトアニア……リトアニア語
◆ リビア……アラビア語
◆ リヒテンシュタイン……ドイツ語
◆ リベリア……英語
◆ ルーマニア……ルーマニア語
◆ ルクセンブルク……ドイツ語、フランス語、ルクセンブルク語
◆ ルワンダ……英語、スワヒリ語、フランス語、ルワンダ語
◆ レソト……英語、ソト語
◆ レバノン……アラビア語
◆ ロシア……ロシア語

東京外国語大学 アジア・アフリカ言語文化研究所

広く世界の言語を研究・教育する東京外国語大学に附置された研究所。
アジア・アフリカ地域の多様な言語・文化を研究する共同利用・共同研究拠点として、
国内外の研究者との共同研究を展開している。
本書の監修は「多言語・多文化共生に向けた循環型の
言語研究体制の構築（LingDy3）」プロジェクトがおこなった。

◆ 執筆協力 ◆

麻場美利亜
アパサラ・キク
小田淳一
塩谷亨
高野啓太
高橋洋成
外川昌彦
長屋尚典
花渕馨也
深澤秀夫
堀内里香
町田和彦
松平勇二
吉枝聡子

ナショナル ジオグラフィック協会は1888年の設立以来、研究、探検、環境保護など1万3000件を超えるプロジェクトに資金を提供してきました。
ナショナル ジオグラフィックパートナーズは、収益の一部をナショナルジオグラフィック協会に還元し、動物や生息地の保護などの活動を支援しています。
日本では日経ナショナル ジオグラフィック社を設立し、1995年に創刊した月刊誌『ナショナル ジオグラフィック日本版』のほか、
書籍、ムック、ウェブサイト、SNSなど様々なメディアを通じて、「地球の今」を皆様にお届けしています。

nationalgeographic.jp

世界の「こんにちは」

2021年4月19日　第1版1刷

監　修　東京外国語大学 アジア・アフリカ言語文化研究所
編　集　尾崎憲和　葛西陽子
デザイン・イラスト　鈴木千佳子
編集協力　PEAKS（上野裕子、金子哲史）／淺見良太
国旗制作　アテナ
制　作　朝日メディアインターナショナル
発 行 者　滝山晋
発　行　日経ナショナル ジオグラフィック社
〒105-8308　東京都港区虎ノ門4-3-12
発　売　日経BPマーケティング
印刷・製本　加藤文明社

ISBN978-4-86313-485-0
Printed in Japan